Do mo thuistí, Sam agus Siobhán, as scéalta a léamh dom
– fiú nuair a bhí mé mór go leor iad a léamh dom féin. – SD

Do Aria – tá súil agam gur iomaí eachtra álainn
a bheidh agat sa teach bábóige. – RH

Foilsithe den chéad uair ag Futa Fata,
An Spidéal, Co. na Gaillimhe, Éire
An chéad chló © 2018 Futa Fata

An téacs © 2018 Sadhbh Devlin
Maisiú © 2018 Róisín Hahessy
Dearadh, idir chlúdach agus leabhar, Susan Meaney

Tá Futa Fata buíoch d'Fhoras na Gaeilge faoin tacaíocht airgid.

Foras na Gaeilge

ISBN: 978-1-910945-40-7

Beag Bídeach

scríofa ag
Sadhbh Devlin

maisithe ag
Róisín Hahessy

"Níl mé ag iarraidh leabhar a léamh anois, a Jimí," arsa Nína lena deartháir beag. "Bí tusa ag súgradh le Teidí."

"A Tim! A Neilí! A Neilí-Eile! An bhfuil sibh réidh? Caithfimid réiteach don damhsa mór. Caithfimid bheith ag cleachtadh!"

"Stop, a Jimí!" a bhéic Nína.
"Tá mé ag iarraidh spraoi liom féin!"

"Ní thuigeann sé," arsa Daidí.
"Níl sé ach beag bídeach. Seo leat, a Jimí.
Tar thusa liomsa."

"Ní ligeann Jimí dom riamh," arsa Nína léi féin.
"Ba mhaith liomsa bheith beag bídeach freisin.
Ba mhaith liomsa bheith *chomh beag bídeach*
sin go mbeinn ábalta dul chun cónaithe
i mo theach bábóige.

Liom féin, *gan Jimí!*"

Dhún Nína a súile go daingean.
"Beag bídeach," a dúirt sí de chogar.

"Beag bídeach,
  beag bídeach,
    beag bídeach,
      beag bídeach,
        beag bídeach!"

Nuair a d'oscail sí a súile arís
bhí sí beag bídeach!

Agus bhí sí sona sásta!

"A chairde!" a bhéic sí. "Féach!
Tá mé chomh beag libhse. Anois beidh mé in ann spraoi
i gceart libh – *gan* Jimí. Ar aghaidh linn!"

"A Tim! Mise atá ann! Do chara, Nína!"

"A Neilí! Féach, tá mé díreach cosúil leatsa!"

Imir folach bíog liom, a Neilí-Eile!"

"Tá tart anois orm," arsa Nína.
"beidh deoch againn."

Ach níor tháinig uisce ar bith as an sconna!

"Tá ocras orm freisin," arsa Nína.
"Beidh píosa den cháca milis bándearg againn!"

Ach – ííúúú! Cáca plaisteach a bhí ann!

"Léifidh mé scéal mar sin," arsa Nína,
agus í ag roghnú leabhair ón tseilf.
Ach ní fíorleabhar a bhí ann.
Ní raibh Nína in ann é a oscailt, fiú!

"Breathnóimid ar an teilifís mar sin," arsa Nína.

Ach, céard a tharla? Tá an ceart agat!

"Tá sé ag éirí déanach," arsa Nína.
"Tá sé in am don damhsa mór!"

"A Neilí, is féidir leatsa damhsa le Tim.
Beidh tusa liomsa, a Neilí-Eile."
Ach bhí na bábóga róthrom do Nína anois.

Bhog siad anonn is anall go guagach
go dtí gur thit siad...

... i mullach a chéile, amach as an teach bábóige agus síos ar an urlár. Díreach ansin, chuala Nína torann ag an doras.

Jimí a bhí ann!

Chonaic Jimí na bábóga ar an urlár.
Chrom sé síos, shín sé amach a lámh,
phioc sé Neilí suas agus chuir sé
ar ais sa teach bábóige í.

Rinne sé an rud céanna
le Tim agus le Neilí-Eile!

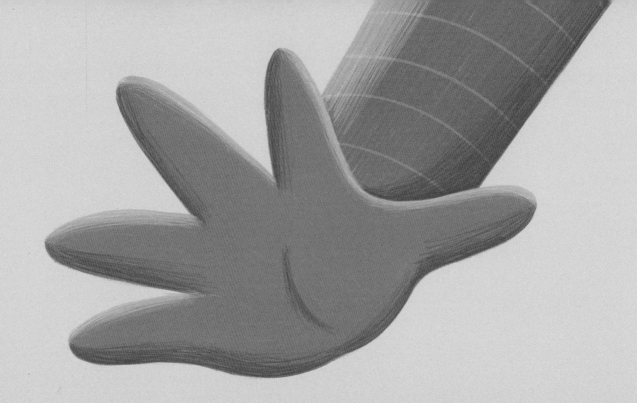

Tháinig lámh mhór Jimí anuas i dtreo Nína.
"ÍÍÍÍÍÍÍÍC!" a bhéic sí. "Ceapann sé gur bábóg
mise freisin!" arsa Nína. "Stop, a Jimí!"

Dhún Nína a súile go daingean.
"Mór millteach!" a scread sí.

"Mór millteach,
mór millteach,
mór millteach,
mór millteach,
mór millteach!"

Nuair a d'oscail sí a súile arís, ní raibh Nína beag
bídeach níos mó. Agus bhí sí sona sásta!

"A Jimí!" a deir sí. "Tá fíoráthas orm tú a fheiceáil.
An léifidh mé leabhar duit anois?"